Je considère le monde entier comme mon pays
et je crois que je devrais être le bienvenu partout...

P-P. Rubens

Pour Raphaël, Nicolas & Carine

L'éditeur et l'auteur tiennent à remercier
Claire et Carola Léonard
pour leur travail de recherche et de documentation,
ainsi que Paul Huvenne pour ses judicieux conseils.

© 1993, Éditions Duculot, Paris – Louvain-la-Neuve

D. 1992, 00.35.12
Dépôt légal: février 1993
ISSN 0777-9917
ISBN 2-8011-1018-3

Conception et mise en pages: Architexte, Bruxelles
Imprimé en Belgique

JEUNE FEMME AGENOUILLÉE ▶

Le Musée
de papier

Lillo Canta

Pietro Paulo Rubens

DUCULOT

Pierre-Paul Rubens...

Rubens est un grand artiste.
Un des plus respectés et des mieux payés de son époque.

En 40 ans, il peint des centaines de tableaux, de dessins, gravures, et exécute d'innombrables projets d'architecture... Dans le même temps, il se marie deux fois, est père de huit enfants et gère son atelier qui compte des dizaines d'élèves et de collaborateurs. Il parle le français, le flamand, l'italien et le latin, collectionne des objets antiques, des peintures anciennes et voyage dans toute l'Europe comme diplomate. Il peint très vite et dans tous les genres: sujets religieux, historiques, mythologiques, paysages, portraits, natures mortes, scènes villageoises...

Certains disent de lui qu'il est le prince des peintres et le peintre des princes, d'autres, celui des femmes...
... des grosses femmes.

J'aime les négociations courtes où chaque partie donne et reçoit en même temps ce qui lui revient.
P-P. Rubens

"Il détestait l'abus de vin et de bonne chère, ainsi que le jeu."
Philippe Rubens

AUTOPORTRAIT

RUBENS ET SES AMIS À MANTOUE

Têtes de nègre

*Ce jeune noir,
débarquant pour une escale
dans le port d'Anvers,
devient le modèle de Rubens.*

PORTRAIT DE L'ARTISTE PAR LUI-MÊME

Têtes d'études

De face, de profil ou de trois quarts, saisir des attitudes. Fixer des regards. Capter la lumière et les couleurs. Restituer la vie…
Rubens croque des statues antiques ou des gens dans leur vie quotidienne. Il fixe les gestes, les expressions du visage et du corps dans d'innombrables dessins.

TROIS ÉTUDES D'UNE TÊTE DE SATYRE

Rubens est passionné d'antiquités grecques et romaines. Il dessine sous divers angles une tête de satyre antique sculptée.

LE SILÈNE IVRE
Détail

*On retrouve dans ce tableau une tête de satyre
ainsi que le jeune modèle noir.*

JEUNE HOMME
ENLAÇANT
UNE JEUNE FILLE

11

Beau, grand et puissant

Ce chef d'armée, bâton de commandement à la main, pose un instant devant nous avant de s'en retourner au combat.

Son armure étincelle sous le ciel menaçant. L'air saturé de poussières vibre des bruits de la bataille. Muscles tendus et crinière au vent, sa monture s'immobilise avec peine.

Parfois, le visage de l'homme tient de la tête du cheval; cette ressemblance est visible dans la tête de Jules César, où l'on peut remarquer comme le visage qui tient du cheval doit être long et ovale, avec le nez long et droit, les ossements fortement ressentis, la face dure, les joues de même, en conservant pourtant quelque chose de plus doux et de plus délicat.

Réflexions de Rubens sur la figure humaine

BUSTE DE JULES CÉSAR

UN CAVALIER

Rubens réalise souvent plusieurs études avant de peindre un tableau. Il détermine par ce dessin, la composition, l'attitude du personnage et le décor dans lequel il placera le duc sur la toile. Le dessin permet aussi d'obtenir l'accord du commanditaire avant la réalisation définitive du tableau.

LE DUC DE LERME À CHEVAL ▶

Le réseau de muscles, de veines et de nerfs court sous le pelage de l'animal.

Hercule et les fauves

Rubens est fasciné par la puissance et par la force. C'est pourquoi il choisit de dessiner Hercule, le meilleur représentant de la force humaine, et les fauves, les représentants par excellence de la force animale. Rubens pouvait observer les fauves de la ménagerie des archiducs Albert et Isabelle.

BRAS ET JAMBES

*Des jambes
qui ne demandent
qu'à courir...*

14

HERCULE

*Ce corps au repos
pourrait déployer
une force extraordinaire.*

LIONNE

*La patte levée et la gueule
ouverte sur des crocs
acérés, montrent de quoi
ce corps est capable…*

15

Rondeurs, courbes et volumes

Rubens recherche la beauté idéale. Il peint des hommes et des femmes parfaits. C'est dans la sculpture antique, grecque et romaine, qu'il découvre les modèles de perfection.

Le corps de la femme ne doit être ni trop mince ou trop maigre, ni trop gros ou trop gras, mais d'un embonpoint modéré, suivant les modèles des statues antiques.

P-P. Rubens

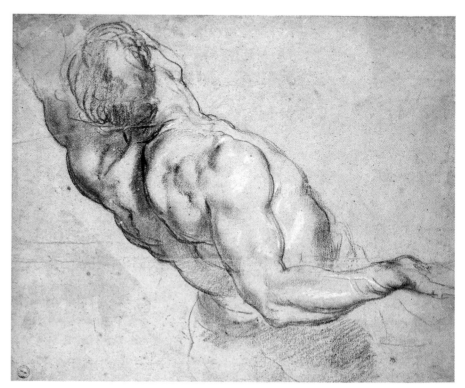

HOMME NU VU DE DOS

16

ENLÈVEMENT DES FILLES
DE LEUCIPPE
Détail

Le cercle et la forme arrondie
sont les éléments primitifs de
la femme et sont la cause et le
principe de toute beauté:
comme dans l'homme, le cube
et le carré sont les éléments de
la force, de la grandeur et de
la grosseur.
On peut réduire les éléments ou
principes de la figure humaine,
au cube, au cercle et au triangle.

*Réflexions de Rubens
sur la figure humaine*

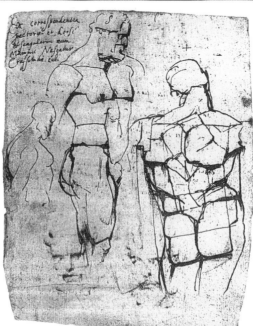

HERCULE, *dessin d'étude.*

Rythme, tours et détours

Des paysans, main dans la main, dansent sur les rythmes endiablés d'une flûte.

Le meneur emporte les danseurs dans une boucle effrenée.

Dans un précieux silence, l'eau cristalline d'un petit ruisseau s'écoule en suivant des méandres capricieux.

DANSE DE PAYSANS

Les paysans, en formant une chaîne, dessinent une belle courbe dans le paysage… Les traits de pinceau de Rubens deviennent rapides comme des pas de danse.

PAYSANS DANSANT

Croquis préparatoires

◄ PAYSAGE AVEC RUISSEAU

Une héroïque chasse aux lions

Sept chasseurs luttent contre un lion et une lionne. La lionne a déjà tué un chasseur qui gît sur le sol, torse nu. Deux autres chasseurs portent secours à un de leurs camarades attaqué par le lion. La lutte est âpre. Elle oppose des adversaires de force égale. C'est au chasseur casqué que reviendra l'honneur d'achever à l'épée l'animal royal.

J'ai quasi achevé une grande pièce entièrement peinte de ma main et une des meilleures selon moi. Elle représente une Chasse aux lions avec des figures aussi grandes qu'au naturel...

P-P. Rubens

LA CHASSE AUX LIONS

DAVID TERRASSANT GOLIATH

*Rubens étudie le geste de David
en le décomposant. Il peut alors, au
moment de peindre son personnage,
choisir l'attitude qui rend le mieux
la violence du geste.*

SAINT GEORGES TUANT LE DRAGON

*Le geste héroïque de Saint Georges
brandissant l'épée pour tuer le dragon
se retrouve dans d'autres tableaux de
Rubens.*

Le drame d'Icare et de Phaéton

Phaéton, un des fils du Soleil, est foudroyé par Jupiter. Icare est brûlé par le soleil.

Leur châtiment est terrible et ils n'en finissent pas de tomber. En plus du poids qui les entraîne, ces deux fils du soleil sont littéralement poussés vers le bas par une "main" implacable, invisible et cruelle.

LA CHUTE D'ICARE

Malgré les conseils de son père, Icare s'approche trop près du soleil. La cire qui maintient ses ailes fond et le jeune garçon tombe dans l'océan...

22

LA CHUTE DE PHAÉTON

*Phaéton, fils d'Hélios, dieu du soleil,
prend les rênes du char d'or de son
père… Ne parvenant pas à maîtriser
l'attelage, Phaéton poursuit une folle
course dans le ciel, menaçant ainsi de
détruire la terre. Jupiter décide alors
de le foudroyer.*

" *Les chevaux affolés, bondirent,
se détachèrent du joug et sortirent des
rênes brisées… Phaéton fut précipité
la tête la première et dégringola à
travers les airs…* **"**

◄ *Cette petite étude fut
transposée à la dimension de
la toile définitive deux ans plus
tard. Le travail fut commandé
à Rubens par le roi Philippe IV
d'Espagne pour décorer son
pavillon de chasse.
Le roi lui commanda une série
de tableaux sur le thème des
"Métamorphoses" d'Ovide.*

Ovide, Métamorphoses

23

LA CHUTE DES RÉPROUVÉS
Détails

Rubens est un merveilleux conteur…
Ses peintures racontent les histoires passionnantes
de personnages hors du commun.
Il peint des enfants, des hommes, des femmes, des
animaux près de tomber, d'étreindre, de mordre,
de s'échapper. Leurs corps s'enchevêtrent, forment
des diagonales et des spirales. C'est en cela que
l'on peut dire que Rubens est un peintre "baroque".

Et encore...

ANGE CLAIRONNANT
*Porche de la façade
ouest de Saint-Charles
Borromée, à Anvers.*

*C'est sur le modèle de
Rubens que fut réalisé
ce porche.*

Rubens n'a pas réalisé que des peintures.
Loin de là... Il a également conçu des projets
de "Joyeuses Entrées", de plafonds, décors et
façades d'églises, de gravures, de tapisseries, de meubles, et
de couvertures ou de frontispices de livres...
Il a aussi échangé une importante correspondance.

*Extrait de l'une des
nombreuses lettres de P-P.
Rubens à son ami Peiresc.*

Le char de triomphe de Kallo

Rubens a été chargé par la ville d'Anvers de concevoir la "Joyeuse Entrée" du cardinal-infant Ferdinand, détaché dans les Pays-Bas du Sud par le pouvoir espagnol en 1635.

Il s'agissait de créer des décors dans la ville d'Anvers devant lesquels l'attelage passait. Rubens organisa cet événement et réalisa les projets devant servir à la construction des décors.

Marque typographique de l'imprimerie Plantin commandée à Rubens par Balthasar Moretus.

27

Rubens de 0 à 63 ans

1573. La famille Rubens, originaire d'Anvers, est envoyée en résidence forcée à Siegen en Allemagne. C'est dans cette même ville que naît Pierre-Paul Rubens, quatre ans plus tard, le 28 juin 1577.

Après la mort de son père en 1587, Pierre-Paul et sa famille s'installent définitivement à Anvers.

Le jeune Rubens est inscrit à la Papenschool, école réputée du latiniste Verdonck. Le futur responsable des imprimeries Plantin, Balthasar Moretus, y est également élève. Pierre-Paul aurait alors copié des illustrations de la Bible.

Il entre au service de la comtesse Marguerite de Lalaing d'Arenberg, à l'âge de 13 ans.

Un an après, il entre en apprentissage chez le peintre Tobie Verhaecht, oncle par alliance de Rubens, puis chez Adam Van Noort et enfin en 1596, chez Otto Venius (nom latinisé de Van Veen).

Il a 21 ans quand il devient "maître" à la gilde des peintres d'Anvers.

En 1600, Rubens part pour l'Italie. Après un passage à Venise, il arrive à Mantoue où le duc Vincent Gonzague le nomme "peintre de cour".

Isabelle Brant

<small>DESCENTE DE CROIX</small>
Détail du panneau central

• • •

En mars 1603, Vincent Gonzague l'envoie en mission en Espagne. Il y rencontre le duc de Lerme dont il réalise le portrait équestre.

A son retour Vincent Gonzague lui alloue une rente annuelle de 400 ducats et le nomme "peintre pensionnaire".

Il apprend que sa mère est gravement malade et il prend la route d'Anvers le 28 octobre 1608. Il arrivera trop tard.

Septembre 1609. Rubens est nommé peintre de la cour des archiducs des Pays-Bas, Albert et Isabelle.
Le 3 octobre, il épouse Isabelle Brant.

Le 21 mars 1611, la gilde des arquebusiers lui commande la DESCENTE DE CROIX pour la cathédrale d'Anvers. Il achève le panneau central en 1612 et les panneaux latéraux en 1614. Cette même année naît son fils Albert.

1616. Rubens réalise LE GRAND JUGEMENT DERNIER pour l'église des Jésuites de Neubourg.

En 1618, naît son deuxième fils, Nicolas. En avril, Rubens échange douze de ses toiles contre des marbres antiques avec sir Dudley Carleton, ambassadeur de Grande-Bretagne à La Haye. Celui-ci achète le tableau DANIEL DANS LA FOSSE AUX LIONS de Rubens.

La construction de la Maison Rubens à Anvers est achevée.

LA MAJORITÉ DE LOUIS XIII
*Une des 24 toiles de la
Galerie de Médicis.*

• • •

Février 1622. La reine mère de France, Marie de Médicis lui commande pour le Palais du Luxembourg une série de 24 toiles qui doit vanter les faits et mérites de la grande reine: LA GALERIE DE MARIE DE MÉDICIS. On inaugure les tableaux le 8 mai 1625. Ils seront transférés bien plus tard au musée du Louvre… On dit que ♦ le peintre français Ingres ouvrait son parapluie quand il passait dans la salle du musée du Louvre abritant la série de ces toiles pour éviter de les voir.

♦ D'après Philippe Muray, La gloire de Rubens, Grasset 1991.

Visite de l'atelier de Rubens par l'infante Isabelle.
Le 19 novembre, visite du duc de Buckingham.

20 juin 1626. Décès de sa femme Isabelle Brant.

"...j'ai trouvé bon de dire à Votre Altesse que j'ai regretté beaucoup que, pour traiter d'affaires aussi importantes, on ait eu recours à un peintre, ce qui est cause de discrédit..."

Lettre de Philippe IV à l'infante Isabelle datée du 15 juin 1627.

1628. Rubens fait la connaissance du grand peintre espagnol Diego Velasquez en Espagne.

HÉLÈNE FOURMENT,
CLARA-JOHANNA ET FRANS

En 1629, Charles Ier, roi d'Angleterre, le nomme chevalier et l'Université de Cambridge lui confère le titre prestigieux de "Maître ès Arts". Le 6 décembre, Rubens, âgé de 53 ans, épouse la belle Hélène Fourment âgée de 16 ans. Clara-Johanna, Frans, Isabella-Helena, Peter-Paul et Constantina-Alberta naîtront de cette union.

• • •

En 1631, Rubens renonce à la diplomatie où il comptait des ennemis et se consacre uniquement à la peinture.

"...(le rapport) de Rubens renferme beaucoup d'absurdités et de verbiage italien."
Jugement porté par le Comte-duc Olivarès
lors du Conseil d'Etat du 19 août 1631 sur un rapport diplomatique remis par Rubens.

J'ai retrouvé la paix de l'esprit, ayant renoncé à toute autre sorte d'occupation que ma profession bien aimée.
Rubens écrit à son ami Peiresc, en 1634.

Rubens est chargé en 1635 par la ville d'Anvers de réaliser la décoration pour la "Joyeuse Entrée" du cardinal-infant Ferdinand.

PORTRAIT DE PHILIPPE IV, ROI D'ESPAGNE

En 1636, le roi d'Espagne, Philippe IV lui commande la décoration de son pavillon de chasse "Torre de la Parada". Rubens est nommé peintre de cour par le cardinal-infant.

Deux ans plus tard, ces toiles, peintes par les élèves de Rubens sur base des esquisses du maître, sont embarquées à destination de Madrid.

le 27 mai 1640, souffrant de plus en plus de la goutte, Rubens dicte son testament. Il meurt à Anvers trois jours plus tard après une vie pleine et heureuse. Dans ce testament il lègue tous ses dessins et études à celui de ses fils qui sera peintre ou à celle de ses filles qui épouserait un peintre.
Aucun de ses enfants n'en héritera.

Table des illustrations

Crédits photographiques
& copyright des illustrations:

The Ashmolean Museum, Oxford **16**
Rheinisches Bildarchiv, Cologne **7**
The Pierpont Morgan Library, New York **26**
Musée du Prado, Madrid **13, 19**
Amsterdams Historisch Museum **5, 11**
Musées royaux des Beaux-Arts de Belgique,
  Bruxelles **8, 10, 16, 22, 23, 33**
Museum Plantin Moretus, Antwerpen **27**
Scala, Milan **30**
Kunsthistorisches Museum, Vienne **7**
Dienst Gemeentelijke Musea, Rotterdam **14**
Koninklijk Museum voor Schone Kunsten,
  Anvers **27, 28**
Kunstdia-Archiv Artothek, Munich
  6-29, 11, 14, 17, 24-25
Kunsthaus, Zürich **31**
Réunion des Musées Nationaux, Paris
  8, 10, 12, 21
British Museum, Londres **15, 17, 19**
Bibliothèque interuniversitaire, Montpellier **21**
Magnum Photo, Paris **22-29**